사랑의 우주

Universe Of Love

아이레 시집

지구를 체험한, 체험하는, 체험할 모든 영혼에게.

차례

1

땅의 이야기

천사와의 회의 : 삶의 직전

생각보다 힘이 들지도 몰라
그래도 괜찮니

네 나는 괜찮아요
크레파스 손에 쥐고서요
색색의 빛깔 하늘에다 칠하면서요
눈물이 나면 울고
화가 나면 화를 알 테니까요
난 정말 괜찮아요

그럼
이제 가보렴
네 빛은 네 눈동자에 새겨놓았으니
너무 겁먹지 말고 살아나가렴
잠시 보이지 않아도
그 빛은 결코 꺼지는 법이 없으니까

최초의 나

나 아무것도 두려워 않네
왜냐면 예전에 나 그랬으니까

나 모두를 사랑하네
왜냐면 예전에 나 그랬으니까

외계인

내게 다른 삶을 한 번 줘보시겠어요
외계인이 말했고
신은 수락했다

신은 외계인이 삶을 누릴 장소로
지구를 택했다
왜냐하면
지구에는 다음과 같은 :
진흙
진흙 쿠키
초코 쿠키
가 모두 있었기 때문이다

진흙을 밟고 외계인은 기뻤고
진흙 쿠키를 먹고 외계인은 슬펐고
초코 쿠키를 먹고 외계인은 기쁘고 슬펐다

다시 돌아갈래요

외계인이 말했고
신은 거절했다

신은 외계인이 삶을 누릴 장소로 선택한
지구라는 곳을 사랑했기 때문이다
왜냐하면
지구에는 다음과 같은 :
사랑
사랑을 아는
사랑을 하는
사람들이 살고 있었기 때문이다

사랑을 인식하게 된 외계인은 조금 놀랐고
사랑을 알게 된 외계인은 성장했고
사랑을 하게 된 외계인은 언제나 놀라며 성장했다

이제 돌아가지 않을래요
외계인이 말했고

신은 귀향을 요청했다

왜요?
눈물을 뚝뚝 흘리며 외계인이 묻자 신은 :
지구에서 겪을 것은
오직 사랑뿐이었기에
그리고 이제 그것이
외계인의 안에 들어왔기에
되었다고 말했다

되었다니요?
외계인이 묻자 신이 답하기를 :
이 우주에
사랑 말고는 없고
그것은 지구에서 가장
잘 배울 수 있는 것
이었다고 말했다

세 영웅

여기 세 영웅이 있어요
사랑의 수호천사들이지요
한 명은 생명을 구하고
한 명은 영혼과 소통하고
한 명은 사랑을 확장해요

이해가 안 된다면 다시 말해줄게요
이건 또 다른 버전의 이야기죠
한 명은 콘트라베이스를 연주하고
한 명은 기타를 치고
한 명은 지휘를 합니다

이것 말고 다른 버전도 있어요
얼마든지요 아흔아홉 오백다섯 열하나
이해되는 버전으로 들려줄게요
그것으로 살아보세요
원형은 모두 하나니까요

뱃고동 소리

분명 뱃고동이었지
떠나라는 사인이었지
고양이님이
지붕에 앉아 말 하시기를
저리로 가라네
우린 시키는 대로 했지
길을 걸었지
각자의 길이자 하나의 길을

넌 새벽을 헤매이고
난 안개에 잠겨 들고
이름 모를 누군가에게
음식을 받기도
요청받기도 하며

세 번의 뱃고동이
또다시 울렸네
이제 돌아와도 된다네

우리는 모여 앉아
이야기 나눴어
만났던 사슴에 대해

그러나 사실
우리가 손에 들고 나타난 건
딱 하나
어떠한 이름도 얼굴도 그림도 아닌
딱 하나의 마음
그저 사랑이었네

어처구니머니나!
그리도 간단하고
그리도 흔한걸!

길고도 짧은
이 무한한 반복 속에서

우리가 온전히 느낄 뿐인
유일한 것

전생에서 온 자도
후생으로 간 자도
모두 아는 것

너에게도 울리고
모두에게도 울릴
뱃고동 소리

빵과 삶

빵이 말했다
날 먹어
내가 왜?
하고 묻자
난, 빵이니까
라고 빵이 답했다
그래서 난
빵을 먹었다

삶이 말했다
날 살아
내가 왜?
하고 묻자
난, 삶이니까
라고 삶이 답했다
그래서 난
삶을 살았다

두 갈래 길

나 딱 하나 알게 된 것 있다면
두 갈래 길 어느 쪽을 택하든
모두 하나의 큰길로 이어져 있다는 것
이쪽에 너무 많은 고난과 고통 있었다지만
실은 다른 쪽의 지난도 있으리라는 것
우리는 그저 옳은 길을 택했네
길을 빠져나온 뒤에야
완벽하게 짜인 거미줄을 보네

외계인의 스피치

봐요, 보세요, 이 얼마나 용감한가요 지구의 영혼들
그들은 매일의 날을 오롯하게 감당할 만큼 용감하고요,
때로는 상처 입을 것을 뻔히 알면서도 사랑을 선택하고요,
무엇보다 이 둘 다를 계속해나갈 만큼 아주아주 용감해요
정말로 대단하지요 우주의 여러분

오래된 성곽

영혼을 잃어버린 사람은 어디로 가나요?
적색 배경 속으로 사라지는 사람
곧 초상화가 되어 질문도 옅어졌네
나는 한바탕 꿈을 꾸고서
지끈거리는 머리를 이고
바닥을 터벅터벅 걸었네
물을 한 잔 마시고 정신을 차리니
영혼은 성 밖으로 새어 나가지 않는다는 것을 알았지
모든 것은 거기에 있고
모든 것은 여기에 있어
소곤거리는 바람의 목소리에는
바다가 실려 세상에 빛을 보여주고
영원의 빛이 서린 겨울 성곽에는
작은 녹색 새가 다리를 하나 잃고 앉아있네

우리의 꿈

우리 다른 재료로 꿈을 꾸고
다른 이 다른 장소 다른 공기 만나지만
하나의 세계를 이해하네
그건 사랑이라는 세계
악몽도 포용하고 길몽도 포용하는
너무나도 커서 시작도 끝도 없는 세계
우리의 꿈은 하나의 꿈
사랑의 꿈

빵과 물과 길

빵과 물과 길은 모두를 위해 난 것

사랑의 룰

만일 당신이 당신을 부정한다면
당신이 사랑하는 모든 것을 부정하는 것과 같다

전사의 가르침

겁을 내지 마라
이것은 너의 환상이니
모든 것이 선명하고 단단해 보이지마는
얼마든지 다르게 해석될 수도 있다네

세 친구

그녀는 붓다를 좋아하고
파드마삼바바의 눈을 보고
그녀가 묻는 즉시 우주가 답을 주네

그녀의 친구는 따스한 향기
하루에 일만 오천 보를 걷고
얼마든지 사랑을 주며 자신을 치유하네

그녀의 또 다른 친구는 자비로운 구도자
무엇을 구도하는지 고요히 침묵하며
오직 자신 안에서만 답을 찾네

이름 모를 여행

마음을 들여다보기 위해 이름 모를 동네에 가서 이름 모를 누군가의 집에 머물며 이름 없는 시간을 보냈습니다 누군가 헛웃음 칠 만한 시간은 아니었지만 내가 들여다본 것은 외로운 마음이었습니다 간절히 사랑하고픈 마음이었고 다시 사람들 틈으로 들어가고픈 마음이었습니다 이전과 같을 순 없겠지만

잠을 자고 일어나 해변에서 노래를 한 편 지었고 그것을 오직 당신만을 위해 불렀습니다 그러다 이름 모를 누군가 나를 찍어 사진을 건네주었습니다 그것 역시 마땅한 이름을 붙이지 못할 시간이었지만 참으로 맑고 좋은 파란 공기를 닮아있었습니다

사실 나를 부른 건 어머니 땅이었고 내가 머무를 장소를 보여주고 안내해주셨고 그 장소는 참으로 자비롭고 따스한 햇빛을 머금은 대지였습니다 단잠에서 깨자 오직 나뿐이었는데 땅은 내게 말을 걸듯 그 풍경을 선물해주었습니다 숲속에서 나는 온전한 딸이었지요

인사를 전하기 위해 내가 사용한 방법은 가장 아름다운 태양을 당신께 전해주는 방식이었는데 우연히 그 얼굴의 일부를 닮은 사내를 마주쳐 기묘한 인생을 엿보기도 했습니다 그 실체를 찾으려 마을을 헤맬 땐 내 허상 도깨비를 만날 뿐이었지만요 그래도 난 두렵지 않았습니다 두려움은 오직 마주할 때 가장 짧고 그 뿐이니까요

마녀 할머니와 마법사 할아버지가 있던 그 마을에는 냇가도 참 많고 새들이 모이는 카페도 있었습니다 대체 그들은 어떠한 연유로 그런 땅에 모여 떠나지 않는지 난 어쩌다 그곳에 이끌린 건지 그러나 빈 시간과 공간을 걷는 건 정말 대체할 수 없는 경험이었습니다 그 마을을 이루는 물질은 바로 그런 것이었습니다 그러고보니 이 시는 그 마을에 전하는 감사의 편지군요

아직 그 여행에 이름 붙일 만한 멋진 제목을 발견하지는 못했지만 아마 저도 모르게 또 다른 원형을 만들어낸 것 같군요 어찌 되었건 감사합니다 감사했습니다 저를 받아

준 것에 대해 제 외로움을 온전히 보게 하고 아무렇지도 않게 모든 천사를 보내준 것에 대해 저는 참으로 외로웠지만 쓸쓸하지는 않았습니다 덕분입니다 그 마법 같은 마을이 무한한 평안을 누리기를 어쩌면 오직 생명만으로 이루어진 그 마을이 계속해서 생명이기를

해봐

소리를 들어봐
햇빛을 좇아봐
젖은 땅을 밟아봐
눈을 감아봐
고요에 머물러봐

천사와 나의 대화

한 번 더 꿈을 꾸면 어떨까?
천사가 말했다
글쎄, 난 잘 모르겠어
내가 말했다

느낌으로 말해요

머리로 고른 수많은 것들
이제 내게 남지 않았네
생은 참 너른 마음 지녀서
뭐든지 하게 해주지마는
결국 가장 좋은 건
오직 느낌으로 말해지네

의외의 길이 끌려 그리로 갔더니
의외의 카페가 나왔어
의외의 책이 있던데
의외의 내용이 적혀 있었지
이 모든 것들이
참 의외의 것이라 느껴졌는데
느낌을 따라 살아도
의외로 다 좋더군
이보다 더 큰 것도
느낌으로 고르면
가장 나다운 것
만나게 될 것 같네

양치기

사랑을 찾아다니던 양치기가 있었네
양치기 모든 별과 사막을 뒤적였지만
사랑은 어디에도 없었네
마침내 기나긴 모험에 지쳐 돌아온 날
드리워진 그림자 하나
그를 기다리던 양이었네
어디를 갔다 온 거야 양이 묻자
양치기 지치고 절망한 목소리로 말했네
사랑을 찾아 돌아다녔어 결국 찾지 못했지만
그러자 양이 말하길 그 사랑
그가 이미 지니고 있었다네
의아한 표정 짓자 양 덧붙여 말하길
예전에 양치기 자신을 바라보던 눈 속에
분명 사랑이 담겨있었다 하네
그리고 아마도 여전히 그곳에 사랑이 있을 거라고
별빛에 눈이 멀고 모래바람에 눈이 말랐을지라도
사랑은 거기에 있을 거라고
양의 말에 양치기 눈을 감아 보았네

그러자 보였네 무엇인가
떠올랐네 조용한 어둠 속에서
무척이나 자신을 닮은 그것이

사랑에 대한 사색

사랑을 하트가 아닌 다른 모양으로 어떻게 그릴 수 있을까
우린 곰곰이 생각하다 동시에 동그라미를 그렸네
그럼 사랑에 다른 이름 붙여 보면 어떤 이름 붙을까
우린 망설임 없이 말했지
여자와 남자
아이와 노인
동물과 자연
전쟁과 평화
볼펜과 티셔츠
과학과 신
종교와 책
달과 그림
꿈과 잠
이 세상 전부
왜냐하면,
왜냐하면 사랑은 모든 것이니까!
그럼 사랑의 끝으로 가면 무엇이 나올까
우린 한참을 생각하다

아무것도
그리고 모든 것이 라고 답했네
고개 끄덕여봤지만 역시
아직은 잘 모르겠다고 말했네

정체

너는 누구니?
나는 이름이지

너는 누구니?
나는 몸이지

너는 누구니?
나는 마음이지

너는 누구니?
나는 영혼이지

너는 누구니?

허공의 춤

맞아요 우리 얼마든지 허공을 맴도는 춤을 춰도 된다고
생각해요 하지만 만일 누군가 무언가 어디선가 당신의
영혼을 두드리는 것이 나타나면 그땐 모른척하지 않기로
해요 나도 그러겠어요

편지

잘 지내고 있는지 알 수가 없네
나는 이 길을 택했고
너도 뭔가를 택했구나
우리가 쌓아온 인생
잘 짜인 것일 텐데
아직 끝나지 않아서
뭔지 잘 안 보이는구나

약속과 빵

약속 시간을 잊은 사내가 있었습니다
덧붙여 사내의 꿈은 빵을 먹는 것이었는데
그토록이나 간단하고 쉬운 것이었는데
사내는 꿈도 약속도 이루지 못한 채였습니다

그러던 어느 날
사내의 꿈속에 얼굴이 있는 태양이 나타나 말하기를
“너는 이제 다른 선택을 내려야 할 것이다”

사내는 잠에서 깨자 불현듯 약속 시간이 생각났고
상대와 함께 빵을 먹기로 했다는 사실도 생각났습니다
그래서 내 꿈이 빵을 먹는 것이었구나

사내는 코트를 챙겨입고 황급히 달리기 시작했습니다
광장에는 하나둘 램프가 밝혀졌지만
만나기로 한 그 사람은 어디에도 없었습니다

사내는 슬픈 마음과 화나는 기분을 동시에 느끼며

코트 주머니에 손을 찔러 넣고 분수 앞을 서성였습니다
그때 주머니에서 작은 종이 한 장이 만져졌습니다
종이를 펴보니 이런 문장이 적혀 있었지요

“빵을 먹고 싶다면 바다로 와. 혹은 거리도 괜찮지.
중요한 건 너로 와야 한다는 거야.
무엇보다 네 영혼은 꼭 주머니에 넣어 가지고 오도록 해.”

사내는 그래서 그렇게 했습니다
바다로 걸었고 거리를 살폈습니다
그렇게 얼마나 걸었을까요

사내는 어느새 약속 시간이 넘어가는 것을 보았고
점점 발이 아파오는 것을 느꼈습니다 그럼에도
주머니에 챙겨온 영혼은 미소 짓고 있었기에
사내는 상대를 만나기 위해
꿋꿋이 바다로 걸어갔습니다

아침 해가 밝아올 즈음
바다에 도착한 사내는 바다 앞에
만나기로 한 그 사람이 서 있는 것을 발견했습니다

사내는 너무나 지치고 힘들었으나
주머니 속 영혼은 한달음에 달려가
그 사람을 껴안았습니다
그러자 그 사람 주머니에서 빵을 꺼내어
사내의 영혼에게 건네었습니다
마침내 사내의 영혼은 기쁘게 빵을 받아들었고
뒤이어 도착한 몸으로
그들은 함께 빵을 나누어 먹었습니다

그렇게 사내는
약속 시간을 기억해내고
꿈도 이룬 사람이 되었습니다

아홉 살 꿈

어젯밤 꿈에 아홉 살 내가 나왔습니다
그 아이 새로 이사 간 집 안을 빙글빙글 돌았어요
창밖으론 까치가 몇 번 울었고
까무룩 포근한 이불보에 잠든 아이는 눈을 뜨니
이 어른도 아이도 아닌 사람이 되어있었습니다
만약 이 꿈에서 한 번 더 깨어나 본다면
나 무엇이 되어있을까요

무한한 잠을 자는 소년

무한한 잠을 자는 소년이 있었다
이마에 나비가 내려앉아도
거리의 건물이 허물어지고 지어져도
사랑하는 소녀의 향기 풍겨와도
무한한 잠에 빠진 소년이 있었다

소년은 꿈속에서 모든 걸 했다
사과를 먹고
대지진을 겪고
해태를 만나고
여행을 떠났다

소년은 어느 날
모든 게 슬픈 꿈이라는 걸 알게 되었다
너무나 많은 꿈을 꾸어 알게 된 것이다
아 이것은 꿈이구나
나는 지금 무한한 잠에 빠진 거구나

하지만 소년은 잠에서 깨어나는 대신
더 깊은 잠의 세계 속으로 들어가기로 했다
그러면 무한한 잠의 끝에 가닿아
이 모든 잠의 비밀 알 수 있을 것만 같았다

신과의 대화

우리에게 선택권을 줘보세요

이미 다 주었습니다

그럼 우리에게 힘을 줘보세요

또한 이미 주었습니다

그렇다면 왜
이런 거지요
세상이요
제가요

그건
나도 모릅니다
하지만 아마
이 사실 잊었거나
쓰는 법 잊어
그런 것 같습니다

아멘

사랑의 저녁 식사에 초대할게요
오셔서 너그러운 미소를 지어주세요
나와 함께 우주에 대해 얘기하고
때로는 깊은 연민이 일어나는 것을
때로는 깊은 평화가 일어나는 것을
목격해보아요

식사를 마치고
우리는 웃으며 헤어지겠죠
헤어지지 않는다는 걸 알고 있을 테니까요
무엇보다 온 존재가 사랑이라
당신을 보면 눈물을 글썽이겠죠

당신이 나가고
문이 닫히고
홀로 남겨진대도

나는 그릇을 정리하며 울지 않을 거예요

이미 저에게도 그 사랑이
번지고 있다는 것을 알 테니까요
그렇다면 아멘, 하고
일곱 살의 나처럼
순수한 마음으로 읊조리겠죠

한곳

꿈에서 기차를 타고 호수를 건넌다
지구본이 허공에 뜬 채 핑그르르 돈다
어디로 갈까나?
　　　　어디로든 갈 수 있지.
무한하게 펼쳐진 목적지
모두 한곳을 향하지만
모두 한곳을 향하지만

사랑의 왕국

작은 차여도
모두 타야지

비가 온다면
마차를 연결해
함께 가야지

집으로

어머니 저녁 무렵 집에 돌아오라고 날 부르셨던 것처럼
또 다른 어머니 나의 영혼 부르시며 고향으로 초대하시네
그녀는 많은 이야기에 깃들어 나타나셨고
한 소년의 눈빛에 깃들어 나타나셨고
나의 눈에 영원히 자리를 잡으셨네
나는 이제 조금씩 고향으로 돌아가는 법을 아네

한밤의 축제

한밤중에 축제가 열렸습니다
두려움도 추억도 슬픔도 생각도 모두 참석해
인사를 건넸습니다
그 가운데 사랑은 유독 인기 많은 손님이고
모두 부러운 듯 바라보았습니다
다만 이 모든 이들은 손님일 뿐
결국 아침이 밝아오면
축제는 끝이 나고
새로운 하루가 시작되어버립니다

하나의 돌

하나의 돌을 숭배하던 마을이 있었네
그 마을 사람들은 하나의 돌 앞에 무릎 꿇고
하나의 돌에 자신의 소원을 말하고
하나의 돌을 무엇보다 귀히 여겼네
어느 날 한 마을 사람이 길을 잃고는 그만
낯선 강가로 떠밀려 걸어갔네
그리고 그곳에서 무수한 돌을 맞닥뜨렸네
충격에 휩싸여 돌아온 그 사람의 말을
마을 사람 누구도 믿어주지 않았네
그 사람은 다만 다음 날 새벽이 밝아오자
하나의 돌을 제단에서 훔쳐 그 강가로 갔네
그리고 돌을 제자리에 돌려놓으며 말했네
여기 무수한 돌이 있습니다
당신이 있어야 할 곳은 다름 아닌 이곳입니다
그리고 그 사람은 영영 마을을 떠났네
하나의 돌은 이제 구분 지어질 수 없었네

세 성인

부처님 말 하시기를 자신에게 기도하지 말라 하시네
혹은 집으로 돌아가 스스로에게도 같이 하라 하시네

마리아님 말 하시기를 자신에게 자비 구하지 말라 하시네
아주 같은 것이 그대 안에 자리하고 있으므로

예수님 말 하시기를 자신에게 고통 느끼지 말라 하시네
모두가 삶이라 부르는 것을 짊어지고 사는 법이기에

나의 실수

나의 실수는 매 순간을 모른척한 것
삶은 오직 그것으로 이루어지는데도

나의 실수

나의 실수는 다름 아닌 내 앞에 펼쳐진 기적을 몰라본 일
햇빛 조각 내린 나무 의자와 캔버스 나무 이젤
내 방의 흔한 풍경 그러나 가을바람 훑고 간 자리

나의 실수는 다름 아닌 내 곁을 지켜주는 이들을 몰라본 일
우연히 들른 폭포의 햇빛 세 조각 보내는 것으로
못다 한 말 다 할 수 있으리라 생각하지는 않지만

나의 실수는 다름 아닌 나를 사랑하면서도 미워한 일
여기에 대해 무얼 말할 수 있을까 그저 이 안에서
퍼져나오는 빛으로 시선을 돌리자고 할 수 있을 뿐

역할극

나그네 역할은 누가 할래

제가 할래요 제가요 저도요

그래 좋아 그럼 새의 노래는 누가 부를래

제가 할게요 저도요 저도 같이할게요

딱이구나 그렇다면 시를 짓는 것은 어떠니

으음 그건 말이죠 아무래도
모든 영혼이 하는 것 어떨까요
역할이 아니라요

으음 그렇구나 그것 멋진 생각이구나 그럼 그러도록 하자
다만 진실로 영혼에 귀 기울일 때만 흘러나오게 하자

그런데 그렇게 하면요 선생님
누군가 시인이 될 수 있을까요

될 수 있지 모두가 정말이야 난 그렇게 믿는단다
아니 그렇게 되리란 걸 안단다

와 그렇게 된다면요
몇 명의 나그네가 있고
새의 노래를 부르는 자들도 몇 있고
모두가 시인이겠네요
정말 멋진 공연이 되겠어요
정말 멋진 연극일 거예요

파스타 그릇

언젠가 내 별로 돌아갔을 때
나 모든 기억 잃고
사랑한 이들의 얼굴 떠올리지 못할지라도
우리 같이 파스타를 담아 먹던
내가 만든 그릇 하나 생각해낼지도 모르네
그릇에 적힌 글귀
그것을 해석해내고
그 문장에 담긴 것을 기억해낸다면
결국 지구에서의 모든 사랑이 떠오를 테지

어머니 대지가 나에게 말하길

이 땅에서의 치유는 이것으로 갈무리되었단다
딸아 이제 사랑을 하러 파견을 다녀오거라
겁이 나는 건 별수 없지만
훨씬 더 깊고 너른 사랑 경험할 테니
너무 걱정 마라 너무 두려워 마라
우리는 영원히 바람결에 아름다이 숨 쉬고 있을 테니
나의 딸아 이 땅은 어떠한 시간도 없단다
우리 다시 만나는 건 바로 다음 순간의 일이란다

약속

우리가 만나기로 약속을 했었니
섬에 도착한 밤에
나는 극심한 울렁증을 겪었어
약을 사 오는 건 내 몫이 아니었고

우리가 정말 약속을 했니?
방향계는 한 바퀴를 돌고서야
찾는 걸 포기하는 마음에서
내려놓는 마음으로 돌아갔어

우리가 정말로 약속했다면, 어디로 가도 괜찮아
아주 섬세한 직물공이 우리를 위해
가장 아름다운 옷을 짜 놓았을 테니
그 옷을 입고 우리 춤을 추게 될 테니

이제 약속 시간은 얼마나 남았지?

낭만

널 만나면 무슨 말을 해야 할지
사탕도 올드 힙합도 없을 테지만
꿈속에서는 우리 수없이 만났다고 말을 해야 할까?
고양이도 양도 우릴 보았고,
주황색 물감으로 너의 세계를 그렸다고
모든 걸 솔직히 털어놓고는,
바닥에 수북이 쌓인 달콤한 이야기를 함께 볼 수 있을까?
그날이 오면 더는 야자의 땅에 살지 않겠지만,
내 마음 한구석에 그 땅에서 받은 빛 간직하며 살겠지
그리고 영화 속으로 들어가 너와의 낭만을 살겠지,
아주 작은 빵 한 덩이라도 좋은 그런 산책을 하며

삶

삶은 당신에게 의외의 것을 건네줄 때가
생각보다 많을지도 모릅니다
당신은 삶이 건네주는 신비가 저 모퉁이에서
당신을 기다리는 줄도 모른 채 걸어갈 수도 있고
때로는 소중하게 품은 비밀이 별일 아닌
오해라는 걸 받아들여야 할지도 모릅니다
모든 것 이 모든 것들이
지난밤 꾼 꿈과 다름없음을 알게 되는 날
당신은 모두가 겪을 수밖에 없는 고통에 대하여
연민과 더불어 깊은 슬픔을 느낄지도 모르고
그럼에도 시를 쓰지 못하는 밤에 대하여
몇 번이나 곱씹어 보는 하루를 보낼지도 모릅니다
이것들은 바로 지금 이 순간까지 삶이
내게 느끼게 한 것이고 내게는 참된 진실이지만
어쩌면 어느 날 여기에 적힌 모든 문장이
투명이 뿔뿔이 흩어지는 풍경을
맞닥뜨리게 될지도 모릅니다

존재의 역할

어떤 이 무대 위 자신의 역할이 없어
정처 없이 떠돌았네
난 무얼 해야 할까
빵집 주인의 옆에서 함께 빵을 만들고
작가의 곁에서 글을 써보고
다른 이와 연인의 역할극을 벌여도
그 사람 아무래도 연기 할 수 없었네
너 그대로 괜찮다면 그냥 여기에 있어
무대 뒤편에서 들리는 목소리
꿈과 같은 이 역할극
그 사람 그제야 눈 반짝이며
그저 한 사람으로 거기에 있네

2

물의 이야기

영혼이 이름에게

있지 너는 빛과도 같아
그것뿐일 땐
얼마나 소중한지 알기 힘들지만
다행히 우리에겐 어둠도 있지
어두운 벽에 햇빛 한 조각 깃들면
너 알지
그건 엄청나게 선명한 아름다움이다
네가 바로 그것의 원형이다
벽에 깃든 한 조각의 어머니다
난 네가 너무나도 좋고 기쁘다
비록 내가 온전한 마음 못 줄 때가 있지만
그래도 알아줬음 한다
넌 무척이나 아름다운 빛이 난다
널 얼마나 사랑하는지 물론 몰라줘도 된다
그렇지만 내 마음 항상 여기에 있을 거고
온 우주와 같단다

어떤 하루

일어나서 밥을 먹었다
아 슴슴하네
슴슴해
살아야지
살아야지

노을 지는 하늘
창에 비친 태양
따스한 물에 샤워
날 사랑하는 나의 세상
세계의 노래

살아가요
살아가

그녀

그녀는 잠을 잃어버린 사람처럼 굴었다
비가 그쳐도 집 밖으로 발을 디딜 수 없었다
폭풍이 지나가고, 지나가고, 또 지나가야 했다
아무도 그녀를 탓하지 않았다
그녀를 빼고는

그녀는 아직도 이해할 수 없는 것들이
너무나 많다고 생각했다
언젠가 답을 찾으리란 걸 알면서도
계속해서 질문하곤 했다
꿈의 언저리를 기웃거리면서도
그녀는 계속 생각했고 생각을 멈추기 힘들었다

나타났다 사라지는 이미지들
머릿속으로 수도 없이 그린 그림의 시작점
이따금 밀려오는 과거는
아름다운 파도처럼 보여 슬퍼지기도 했다
세상에게 괜찮다고 말해주기도 하며 한편으론

언제까지 이렇게 살 순 없고
그러고 싶지도 않다고 생각했다

마음에 무엇이 지나가고 있나요
그녀는 일기를 썼고 많은 것을 보았다
그 소년이 떠오르면 더욱 알 수 없어지는 듯 보였다
그녀는 이제 적어도
미래를 약속할 수 없다는 것 정도는 알고 있었다

해가 말해주고자 했던 것
거미와 무당벌레가 전하고자 했던 건
마찬가지로 사랑이었을 텐데
그녀는 그것이 하고자 하는 말을 몰랐다
마치 생일날의 소원처럼
삶이 끝나야 비로소 알 수 있는 것이었다

그녀는 다만
노래나 시를 짓는 것에 위안을 얻었고

그러지 못하기 싫었다
사랑 사랑 사랑
외치면 마음이 크게 공명

그녀가 세상에 주고 싶은 것
모두가 알았으면 하는 건 바로
이 사랑밖에 없었다

그녀는 자기 자신에게 먼저
똑똑히 기억하게 하고팠다
네가 공명하는 사랑이야
흘러나오는 시냇물이고 모든 것이지

어느 날 밤

짐작하기 어려운 꿈을 꿨습니다
저는 꿈에서 자꾸만 온 기억을 까먹어버렸습니다
존재가 사라지고 파도가 덮쳐오고…
그럼에도 저는 살았고 숨으로 돌아왔고
절 걱정하고 보살피는 친구들 틈으로 돌아왔습니다
태어난 모든 감정을 맞닥뜨리고
축복하는 나는

나는 붉게 물든 하늘 앞에 앉아
떠나려는 자리를 망연히 보았습니다
사랑했고 사랑하고 사랑할 텐데
그렇다면 두려워할 것 하나 없는데
괜스레 마음 한가운데를 어루만지며
꿈과 잠과 새벽을 보내고
때가 되면 꿈을 꾸고
때가 되면 깨어납니다

오늘의 사랑

오늘의 사랑을 해야지
그제 슬펐다 해도
어제 벅찼다 해도
오늘은 오늘
오직 이 순간뿐
오늘 몫의 사랑을 해야지
나도 그걸 누려야지

가을 고양이

날 따라온 그림자
고양이 야옹
슬픔 조각 뭉쳐
사그작 사그작 치워
가을 아침 바람
널 품에 안고 맞아
너는 야옹야옹
기분 좋은 울음

걱정

아가
밥을 꼭꼭 잘 챙겨 먹거라
포근한 옷을 입고
든든히 잠도 자고
슬픔은 금세 털고
마음 시리지 않게
따뜻한 노래도 많이 듣거라

사계

봄에는 많이 걸었고 여름에는 나를 봤네
가을에는 바람에 머물고 겨울에는 모든 게 변하리

구원

미안하지만 아무도 그대를 구원해줄 수가 없다네
우리에게는 끊긴 동앗줄 뿐이라네
우리에게는 바람 빠진 튜브와
스러진 막대기뿐이라네
허나 거센 강물 너머의 어딘가
그대가 스스로를 구원할 구석이 나올 것이라네
젊은이
아무도 그대를 구원해줄 수가 없다네
오직 자네밖에는
자네밖에는

23

책을 아무리 뒤적여도 찾을 수 없었어
그렇다면 떠나야겠군 모험을
짐보따리 챙겨 들다 터뜨려 버린 건
꾹 참았던 울음 하나
겨울에 떠난 마음이 아직 없네
사실 그거 딱 하나면 되는데

19

예전에 영화관 스크린 뒤에 앉아
낭만 속에 잠겨 내려앉아
가만히 모든 걸 보고 있었어
이따금 비가 오면 적막 속에서
관객 없는 빈 좌석을 지키며
양을 쫓으러 떠났지
빈 노래 빈 마음 무언가 잡히지 않더라
난 어디로 흘러가고 있었던 것인지
그걸 가난이라 부를 순 없겠어
그저 움켜쥔 손을 놓은 것일 뿐

17

우리 누워 별을 봤던 것 너는 생각나니
그때 우린 따뜻하고 맘씨 좋지만
더러 상처를 주기도 하는
평범한 한 어른과 셋이 모여 이야기 나눴지
그리고 우리의 젊음을 어찌할 수 없어
가짜지만 좋았던 잔디에 드러누워 별을 보았지
이제 우린 서로의 연락처도 일상도 모르지만 난
그때 생각을 종종 한단다
나의 친구였던 이야 난 네 인생길이
오롯하고 너답고 따스하면서
알 수 없고 슬프고 담대하길 바란다
그 용기 써먹을 데 있게

20

우리 다시 만난 건 슬픈 어느 스무 살의 날
그때 넌 어른의 옷을 챙겨입고 나와
예전과 비슷하지만 다른 영혼의 목소리가 났었지
나는 무척 혼돈스럽고 슬펐는데 그 옷이 보였을까
소매 끝이 축축이 젖었던 옷이

동그랗게 흘러가던 대화
하염없이 퍼붓던 비
잔뜩 흐린 날 속에서 난
무언가 힌트를 얻고는 놀라움에 빠졌지
네가 남기고 간 건 많은 반향을 일으켰지

넌 아무것도 몰랐겠지만
그날은 열일곱의 어느 날들과는 또 다르게
고마웠다
어쩌다 보니 어른 비슷한 게 되어버렸지만
뭐가 어찌 되었든 그 슬픔마저도
우리 영혼은 다 괜찮다 하네

포기하는 마음

나는 포기하는 마음이 참 예뻐
이 생이 자기 없이 이루어질 수 없다는 걸 아는 거니까
힘든 짐을 짊어지고 다니지 않고
마땅히 내려놓고 걸어갈 때를 아는 건 그건
실로 엄청난 지혜이니까
물론 딱 하나
이 무수히 흐르는 생명만은
아무리 포기해도 돌아올 테지만

무한의 기차역

어쩌면 아무것도 오지 않을
이 기차역을 빠져나가 버릴까

뭘 기다리고 있냐는 물음
가을을 담은 청명한 공기
산을 말하는 책의 구절
내가 걷지 않고 바라볼 뿐인 바깥의 풍경

대체 이 젊은이의 몸은 어디로 가는지
아무것도 알지 않고 지금만을 사는데

산에 머무르는 이
나의 친구
나무 작대기 하나로 두려움을 걷어내네

하지만 내가 있는 곳은 기차역
사실 오직 이 순간만 있네
모든 곳은 공상 모든 것은 환상

지난겨울에 핀 연꽃

내 친구 나를 돕기 힘들었네
그녀의 문지방에 슬픔 앉아있어서
내 친구 그럼에도 슬픔 지고 찾아왔네
떠나는 내 그림자 봐주기 위해서

마주친 우리 눈동자에
하얀 슬픔의 꽃 송이송이 피어났고
내 친구 다시 집으로 돌아갔네
남은 이 겨울 더욱 시릴 테지만

나는 아네 내 친구 날 도왔다는 걸
나는 정말 아네 그 슬픔 지는 것 얼마나 힘든지를
바깥에는 소곤소곤 소리 없이 내리는 눈
사박사박 돌아가는 친구의 발걸음을 닮았네

시를 쓰는 마음

시를 쓰는 마음이 웅크리면
조용히 이름을 부른다
과연 어떤 영혼으로 살 수 있나
누구의 눈물을 아는가

정화

얼마든지 원할 대로 쏟아내

토해내듯 모든 단어 모든 말 모든 문장을 게워내렴

등 두드려주는 이 내가 할 테니

넌 모든 걸 토해내렴

숨과 바람

숨에 깃든 사랑 하나
내쉰다

바람에 깃든 평화 하나
들이쉰다

요즘의 고백

요즘 난 잠을 많이 자요
꿈은 한 개도 기억하지 않고요
이불을 돌돌 말아 안고
고개를 폭 파묻고
깊게 깊게 잠들어요
점심을 먹어야지 눈을 뜨면요
새삼 이곳이 생경하고 낯설 때가 있어요
그래도 잠을 자면 좀 낫죠
다시 살 힘이 생겨요
힘, 용기, 의지
뭐라고 부르든지요

엉망 생일을 만들어준 너에게

그날, 내가 강가에 뛰어들 뻔했던 날
너는 날 구하러 와줬지
내 존재를 위해 그냥 무작정
게다가 오는 길에 넌
날 살리는 파도를 그려줬네
그다음 넌 나를 위해
초를 불어주었고
그다음으로는 나를 위해
내 발목에 들여다보는 마음
엉망 생일을 새겨주었지
엉망이지만
생일이야
내가 고맙다고 말은 했지만
생명이 고맙다고는 말을 못 한 것 같아
이 생명 네게 무척 고맙대
말로 다 못 할 만큼
살아있는 것
지금은 아주 좋대

뭘 하면 돼?

아
받아들여
그거면 돼

은둔

넌 오전에는 웃고 있지

그러다가 오후가 되면

넌 미묘한 감정에 빠지지

마침내 밤이 찾아오면

넌 도무지 어찌할 수 없는

사이의 세계로 들어가지

사랑은

사랑은 좋은 것
그냥 다 괜찮은 것
마음에 안 드는 것도 마음에 드는 것
사랑은 모든 것을 안아주는 마음
모든 기억도 안아주는 마음

강가 산책

강가에 서서
강물이 일렁일렁
슬픔도 글썽글썽
내 마음 들여다보다
복슬복슬 강아지
종종걸음 산책에
아이구 웃어버렸지

별세계 이 세계

규칙이 있는 듯 없는 세계
사랑이 규율되지 않은 세계
일렁이는 유리 속에 담긴 세계
정해진 약속을 깰 수 있는 세계
서로를 돕기 위해 만나는 세계
누군가에게는 비어있음 그 자체의 세계

내가 네게 주고픈 사랑

네가 지칠 때 나는 지친 네 얼굴이 아닌
지친 네 마음을 봐주고 싶어

네가 널 잊어갈 때 나는 나무라기보다
네가 다시금 진실로 웃을 순간을 기다려주고 싶어

네가 우리의 약속을 깨려 할때에도 나는 그냥
다 괜찮다고 말해주고 싶어

네가 나로 하여금 이 시를 쓰게 했고
나는 이것만으로 이미 모든 사랑을 받은 듯해

나에게

난 아무것도 부정하지 않겠어
네가 느끼는 감정이 무엇이든지 간에

난 아무것도 판단하지 않겠어
네가 하려는 것이 무엇이든지 간에

난 아무것도 요구하지 않겠어
네가 어떤 몫을 지녔든지 간에

신의 가게

신의 가게에는 모든 것이 있었다
없는 것이 없었다
진열장에는 모든 행성에서의 모든 삶이
차곡차곡 포개져 있었고
아주 미묘한 결로 모든 감정도 정리되어 있었다
나는 뭘 고를지 몰라 한참을 서성였고 그러다
점원의 추천을 받아 가장 잘 나가는 것을 골랐다
그건 지구라는 행성과 인간의 삶이었고
적절한 슬픔 기쁨 분노 즐거움이 버무려진 감정이었다
잘 포장된 행성과 삶과 감정을 들고 가게를 나설 무렵
점원은 한가지 주의사항을 소리치며 말해주었다
“참고로 사랑을 하면 모든 게 변한답니다!
당신이 어떤 행성 어떤 삶 어떤 감정을 택했던지요,
모든 게 상관없어진답니다!”

아흔아홉 번째 기도

구름의 빛으로 날 데려가 주세요
제 꺾인 날개를 치유해주시고
과거의 모든 피의 상처를 어루만져주세요
우리가 부디 본래의 원을 그리며 살 수 있게
본래의 단짝들에게 돌아갈 수 있게 도와주세요

백 번째 기도

삶의 신비 앞에서
삶의 고통 앞에서
삶의 권태 앞에서
삶의 불가해 앞에서
삶의 우울 앞에서
삶의 흐름 앞에서
삶의 끈질김 앞에서
나 기도하네

우울의 이유

너만큼 삶에 진심인 사람은 본 적이 없어
그래서 넌 많이 웃고 많이 울지
또 많이 슬퍼하고 많이도 상처받지
하지만 금세 햇빛으로 고개를 돌리고
내 손을 이끌고
상쾌한 숲으로 달음박질치지

요정 같은 너,
도깨비 같은 너!

삶과 지도

언덕에 올라 말하지
저 새가 울고 있다고
나는 고개를 가로저었네
책에 나온 얘기와는 다르잖아
불어오는 바람
텅 빈 돌멩이 데구르르

아 괜찮아
괜찮다고
바람을 뒤적이다 찾은 지도
다 지워졌는데 어라
지나가던 새 다섯 마리
웃으며 말했지

이렇게 흘러가는 거라우 친구
너무 당황하지 말게나

정화의 날

정화의 날이 모두에게 찾아왔네
우리는 바닥을 쓸고 창가를 닦고
마음을 비우고 음식을 먹지 않았네

다음 날 미처 받아들이지 못한 한 영혼
마지막 저항을 행하네
모두 괜찮아, 괜찮아 말하는 소리에
오후 무렵 그의 영혼 빨래를 널었네

저녁이 오고 촛불을 켜자
우리에게 빛과 축복 깃드네
음식을 나누고 사랑을 받아들인 세상에서
마침내 하나의 식탁에 둘러앉아
서로의 눈에 깃든 정화된 영혼을 보네

두려움과 그림자의 방문

두려움과 그림자
스윽 문을 열고 찾아와
초록 소파에 앉은 채
물끄러미 나를 본다

나는 맞은편을 서성이다
오렌지 주스 한 잔을 들고
휴 하고
한숨을 내쉰다

난 괜찮아
라는 내 말에
두려움과 그림자
줄어들며 말하기를

그 말을
해주려고 온 거라네

만추의 운동장

만추의 운동장에서 나 크나큰 사랑 받았네
솔방울에 기도하고 그를 머리에 올리고
빙글빙글 돌면 이뤄지는 소원같이
모든 만물이 신비롭고 생생하게
우리에게 말을 걸었네

우리는 청춘의 한 페이지를 온전히 살아냈고
기꺼이 길을 잃다
잃은 만큼 돌아왔네
삶이 이제야 시작되는 것 같다는 내 말에
자신도 그러하다고
오롯한 너로 사는 건
정말로 이제 시작이라고 말하는 나의 친구
우리의 체육복이 지난 소년 시절 한꺼번에 살게 했고
지는 해가 뜨는 것처럼 느껴졌네

문득 모든 겨울 생각나는데
이걸 어찌 단어에 담을 수 있을까

만추가 지나면 겨울이 찾아오건만
이제는 두려움에도 용기가 나는구나

네가 준 주머니 성모님은 주머니에 들어가셨고
나는 성모와 성령과 성녀의 기도를 너에게 알려줬네
또 솔방울에 한 나의 기도는
모든 치유와 사랑이 나에게서
오직 나를 위해 시작되어야만 한다는 것을 비췄고
내가 끌어안을 수 있던 게 나뿐이라
마침내 세상을 끌어안기로 했다는 걸 알았네

바람과 말을 하고 있었어
내가 못 할 게 뭐가 있겠어
너무나 고맙고 너에게 모든 걸 배웠어

가족의 소중한 한마디 말들과
날 찾아온 네가 나의 벅찬 가을 만들고
이제 나 오직 나의 행복 바라는데

그것이 사실 모든 걸 마주하게 함을 아네
이 만추의 운동장 한가운데서

마주하기

마주하는 건 정말 무섭지
우리 안에 너무나 많은 것 있으니
하지만 알잖나
자비라는 게 그보다 훨씬 크단 걸
언제나

연꽃

축축하고 무겁고 깊은 진흙에서
하� 순결하고 아름다운 연꽃 피어났다

스님 말이 맞았어
스님 말이 정말 맞네
고개를 끄덕이며 물끄러미 보는데
두 눈에서 눈물 뚝 떨어졌다

그 눈물 어떤 의미니
연꽃 물어왔다 나는
참회 포용 그런 것들,
자애로운 마음이
널 보니 피어난다
대답했지

비

시절에 비가 퍼붓고 우린 허둥지둥 피했네
죄다 젖은 옷 말려봐도 이미 번진 얼룩
가엾지만 어찌할 도리 없네

아 이제 어쩌지
어디서 온풍이 불어와 이 영혼 말려줄까
바람의 방향 고개를 쭉 내밀고 가늠해봐도
알 수 없었네

날 용서해줄래
어린 내가 눈물 머금은 얼굴로 물어오는데
어찌 안아주지 못할까 이 아이

창문 너머 짧은 환영 스쳐 지나가도
다시 남는 것은 지금 순간뿐
열일곱 열여덟 스물 몇 서툰 숫자 등에 적고
태연한 척 뚜벅뚜벅
젖은 옷 입고 길을 걸어 나가네

잠에 빠진 친구

친구가 몇 일째 연락이 안 됩니다
우리는 종종 이런 일이 있지만 이번엔 좀 길어
마음 한켠 언제나 그녀가 있습니다
우정은 저 건너편에 있는 것이라고요
누가 그랬습니다
나 여깄어, 소리치면
나도 여기에 있어, 라고 답해주는 것이라고요
우리 걸어가는 길은 다른 길이지만
언제나 서로의 메아리 들리는 것이지요
지금은 그 소리 잠시 잠에 빠졌지만
제 영혼 그녀를 느낄 수 있습니다

생명의 길

나 아네
우리 모든 생명 바로 이곳에서
바로 이 순간 연결되어 있음을

너의 맑은 눈 내게 말하지
나는 온 마음으로 귀 기울여 듣네
처음, 그리고 매 순간

너의 슬픔 축하

친구들은 자신을 치유하기 위해 지금은 조금 아파요
상처와 고통 꺼내놓고서 이것을 위해 울고 있어요
잠을 꿔 꿈을 자
나는 반짝이는 빛 보내며 그 슬픔을 응원해요
그 슬픔 크나큰 치유의 길에 닿는 것을 축하해요

3

불의 이야기

상처

나
오늘
상처받았네
누군가가
던진 말
아야
돌이었네
참
아프다
그나저나
익숙한걸

아하
나도 그랬군

아하
내가 그랬군

나의 몫

화를 본래의 자리로 가져다 놓는 것
흐르는 삶을 고요히 지켜보는 것

3교시 수업

세상을 만들어봐요

선생님 어떻게요?
어떻게 세상을 만들어요, 제가?

자신을 만들면 세상이 만들어 지지요
세상은 원을 그리는 것과 같아서
나의 말 나의 행동 나의 생각 나의 마음
돌고 돌아 세상이 되지요

할 말이 있어요

시를 하나 읊어드릴게요
제가 쓴 시는 아니고요
새가 한 말인데요
시와 같아서요
들어 봐봐요
자기는
위풍당당 고개를 들어서
무너질 듯 아픈 풍경
스러질 듯 저린 기분도
그냥 다 통과할 거래요
바다요정새
그 친구가 한 말이고요
언제나 모든 걸 마주할 거래요
겁이 안 나니 묻자
겁이 난대요
그렇지만 마주하지 않는 게
더 겁이 난대요
완전 멋지죠

전 한참을 물끄러미
볼 수밖에 없었어요
올곧은 그 작은 날개를요

사람을 만드는 레시피

사람을 만들려면 성격으론 부족하지
기질과 특성으로도 부족하고
웃음과 눈물 그 어떤 감정으로도 부족하지
아름다운 보물과 장식으로도 부족하고
오직 자연만으로도 부족하지
사람을 정말로 만들려면
다른 사람이 필요하지
그래서 서로 만나 손뼉도 치고
하품도 하고 안아주고 말도 하며
별의별 것 다 하면서 사람을 만들지
그렇게 한 사람을 만들려면
정말로 많은 사람의 도움을 받아야 하지
때로는 그 도움 쓰라린 것일 수도
영 화나는 것일 수도 있지만
별수 없이 사람을 만드는 레시피
그 마지막 스푼은 다른 사람이지
그러니 누군가 별로 맘에 들지 않아도
그건 그 사람의 몫만은 아니지

사람을 만들려면 모두가 필요하니
하지만 우리는 언제나 마지막 스푼을
더 하고 더 하고 더할 수 있지

나의 축복은

난 축복을 찾아다녔어
어디에 있지 내 축복?

이야 저기를 좀 봐
저 사람 등 뒤로 터지는 엄청난 축복
와 저 사람은 양손에 가득하네
그나저나
내 축복은 어디에 있담?

아이 힘들어
난 내 축복 한참 동안 찾았지
그때 동네 꼬마 와서 말하길
축하한대
내가 왜? 묻자
축복이라 축하한대
그게 무슨 소리냐 하니
당신의 존재가 축복이라 축하한대

돌탑 신화

나는 나에게 돌을 던지면서도
이따금 돌탑 위에 돌 하나 얹는다
내 소원 이루어달라고
산 할머니 그 모습에 고개 가로젓는다
아가, 젊은 아가
네게 돌을 던지고 상처 주는 것을 멈춘다면
내 어찌 돌탑 꼭대기에 올린
네 작은 소망을 못 본 체하겠느냐

천사와의 대화 : 삶 속에서

아프잖아! 너무 아프잖아!
상처가 이렇게 아픈 거라고 왜 말 안 했어?
난 화가 나 천사에게 소리쳤어
천사는 아냐, 난 분명 말했어, 것 봐,
생각보다 힘들 거랬잖아, 대꾸했지만
난 엉엉 울어버렸어 억울해서
천사 날 토닥이다 함께 눈물 흘렸어
넌 왜 울어? 네가 울면 어떡해?
그래도 천사 주룩주룩 눈물만 흘리네
난 간신히 진정하고 되레 천사를 달랬어
이봐, 진정 좀 해, 왜 네가 울어?
천사는 갑자기 눈물 뚝 멈추고 말했지
울 땐 울어야지, 아플 땐 아파야지, 그런 거야 원래
그런데 왜 갑자기 눈물을 멈춰? 내가 물으니
멈출 수 있을 땐 멈춰야지, 원래 그런 거야, 말하는 천사
그게 뭐람, 난 입을 쭉 내밀고 퉁명스럽게 대꾸했어
천사는 나도 몰라, 잘 몰라, 이 세상은 잘 모르겠어,
이 지구는 정말로, 말하며 고개를 흔드네

그럼 넌 뭘 아니? 아는 건 뭐 있니? 물으니
천사는 난 이걸 알지, 하고 말하길
상처받고 아프고 다치고 그래도 생명들이 찾아오고
다시 찾아오고 또 사랑하려고 찾아오는 곳이 여기라고
참 나, 좋을 게 뭐 있는데? 툭 튀어나온 내 말에
천사는 곰곰이 생각해보는 얼굴을 하더니 말했지
새도 좋고 숲도 좋지,
우정도 좋고 빵도 좋지,
담요도 좋고 햇빛도 좋지,
갈색 나무도 좋고 하얀 눈도 좋지,
재미난 영화도 좋고 데이트도 좋지,
웃음도 좋고 음악도 좋지,
다정한 눈인사도 좋고 강아지도 좋지,
좋은 게 너무너무 많지,
그걸 찾는 게 제일 좋지
천사 너 아는 거 많네 난 웃었지
천사도 나를 따라 웃었지

밝은 방

방이
너무 어두웠다
불을 켜고 싶었는데
전구가 모조리 깨져 있었다
이런 어쩌다 이렇게 되었지
나는
하나씩 하나씩 조심스레
전구를 갈아 끼워 넣었다
때때로 잘린 유리 조각 스쳐
손가락에 피 나기도 했지만
천천히 전구를 갈아 나갔다
아주
높은 곳의 전구는
나의 친구 사다리 들고 찾아와
큰 도움 주기도 하였다
마침내 어느 저녁
모든 전구 갈고
심호흡 한번 하고

불을 켰다
와
와아
방이 환했다
그리고 하루
이틀
사흘이 지나자
나는
밝은 전구 모조리 익숙해졌고
언제나
밝은 방에 살던 사람처럼
밝게
웃었다

마음 따라 생겨난 길

내 마음 생긴 대로 길을 걸었지
우둘투둘
울퉁불퉁
구불구불
이리로 저리로
제멋대로 길이 나
무척이나 걷기 힘들었지만
그리 놀랄 일은 아니었지

휴우 큰 숨을 내쉬며
모퉁이를 돌았을 때
딱 하고
한 스님을 마주쳤네
스님 너무나도 평온하고
고요한 미소 띠고 걸으시길래
어찌하여 어울리지 않게
이런 거친 길 위에 있으시냐
조심스레 여쭈었지

스님 한층 더 깊이 웃으며 말하시길
부처님도 이런 마음의 길 걸어
저리로 도착하셨을 거라 하네
그리고 이 길에서의 모든 순간
이미 도착이라 느끼셨을 거라 하네
또 어느 길 어느 모퉁이 어느 돌부리
우리를 저리로 데려다주지 않는 것 하나 없다고

쌍둥이

나 어제 행복했음에도
오늘은 오늘 아침 해가 뜬 것이다
한 번 더 무한한 하루를 누릴 기회를 얻었구나
너무나 감사한 마음과 별수 없이 언제나
어여쁜 죽음 나를 기다리는 것 인정할 수밖에
어여쁘다는 말 도무지 어울리지 않아
검고 깊고 무심하고 불가해한
그러나 죽음은 무얼 의미하는지
새 하루를 더욱 빛나게 하기도 하지
너만큼 엄청난 것 있을까 모두에게 저마다 다른
아 있지 바로 여기에
삶이라는 네 쌍둥이

이리로 돌아와

삶과 죽음 너머엔 무엇이 있을까
누가 알까 이 답
부처님과 예수님 마리아님이 알까
천사와 악마 수호자들이 알까
날 무척 사랑했던 떠나간 영혼이 알까
그도 아니면 이미 내 영혼 그 답을 알고 있을까
삶과 죽음 너머의 궁금증 시로 옮길 때
마침 울리는 오븐의 알람 소리
이리로 돌아와 일단 이 순간으로
나는 고개를 끄덕이며 자리에서 일어나지

미안

그때 화내서 미안했어
그때 때려서 미안했어
그때 손 놓아서 미안했어
그때 훔쳐서 미안했어
그때 말해서 미안했어
그때 사랑주지 못해서 미안했어
그때 배려하지 못해서 미안했어
그때 도망쳐서 미안했어
그때 욕해서 미안했어
그때 미워해서 미안했어
그때 버려서 미안했어
그때 말 못해서 미안했어
그때 인사하지 못해서 미안했어
그때 찾아가서 미안했어
그때 탓해서 미안했어
그때 모른척해서 미안했어
그때 사과하지 못해서 미안했어

답

나 아직 모르는 게 너무도 많아
내가 이해한다 믿는 것도
금세 파도에 쓸려 사라지지
가끔 허공에 질문을 던지면
공기가 답을 물고 찾아와
똑똑 마음을 두드리네
때로는 그걸 오래 안고서
나 답을 알아
여기 나만의 답이 있어
말하기도 하지만
역시나 모르는 게 너무도 많아
꿈의 옆구리를 만난 언니에게
이런저런 멋진 이야기 듣곤 하지만
내 답을 찾기 위해선
내 꿈이 하는 말을 들어야 하지
결국 그래야만 하지

회상

있지요, 이 세상은 무척이나 오래되었어요.
그간 붉은 달은 몇 번이나 떴을까요?
호숫가에서 죽음을 결심한 이는 또 몇이고요?
가끔 재미 삼아 우리 예전 일 뒤적일 때 있지만,
그게 사실 모두의 옛 얼굴이었다는 것을 알까요?
지금 이렇게 오래된 성안의 오래된 의자에 앉아
바깥에 피어난 이야기가 흩날리는 것을 보고 있자니
아, 얼마나 무수한 생이 오고 간 것인지요.
그 안에 담긴 사랑은 또 얼마나 많고요?
물론 미움 증오 황홀함도 고루 섞여 있었겠지만요.
뭐 어떤가요,
전부 다 우리의 일이었던 것을요.

울퉁불퉁 마음

울퉁불퉁 내 마음
고루고루 굴려보아요
파도에 쓸려 갔다
돌아온 몽돌처럼
고루고루 굴려보아요

천사의 삶

다정한 천사는 달콤한 잠에서 깨어났어요
주위를 둘러보니 수조에 갇힌 물고기가 빙글빙글 돌고
번쩍이는 섬광처럼 이미지가 잔뜩 묻어 나왔어요
천사는 무척이나 어리둥절하고 혼란스러웠지만
거리를 걸어 나갔어요
이제 어디로 가야 하는 건지 모르겠다
하지만 어디론가 꼭 가야 할까
천사는 처음으로 생각이라는 것을 하기 시작했고
결론은 지금 여기에 머무르기로 했어요
매 순간 아주 짧은 찰나에
그리하여 미래의 힘을 전혀 구할 수 없게요
길가에는 어떤 작은 개 한 마리 앉아있었는데
천사에게 이리 말하더군요
난 행복을 원해요
천사는 고개를 갸웃거리며 물었어요
행복이 뭐야 뭘 원한단 거지
개는 이를테면 이런 거죠
햇빛을 잔뜩 받으며 낮잠을 자고요

맛있는 간식을 먹고 드넓은 초원을 달리는 거예요
하지만 난 여기에 있죠 떠돌이 개 신세요
라고 말했고 천사는 나도 떠돌이야 라고 답했어요
천사는 아직도 세상을 잘 파악하지 못하는 눈치였어요
개는 개의치 않았지만요
천사는 다만 붉은 전화기를 발견하고 전화를 걸었어요
자신의 친구에게요
친구가 전화를 받았지요
여보세요 저기 뭐냐 난 그새 산이 되어버렸어
산이 어떤 건데 묻는 천사에게 친구는
그것은 참으로 진정하고 진실되고
어진 무엇이라고 말해주었어요
천사는 산을 이해해보았고 이제 자신은 그것과 아주
비슷하지만 다른 무언가로 살아보아야겠다고 생각했어요
친구가 전화 말미에 말하길 넌 바다랑 잘 어울려
바다와 가까이 지내봐 그럼 이야기가 나올 거야
천사는 왜 자신에게서 이야기가 나와야 하는지
몰랐지만 묻지 않았어요

그러다 바다로 이어지는 오솔길을 만나
천사는 그걸 건너 바다를 봤어요
이야 멋진걸
천사는 바다에 사는 물살이들과 윤슬을 구경했어요
빛무리가 일렁일렁 참 멋지다
그렇게 한참을 있던 천사는 문득
이야기가 흘러나오는 것을 느꼈어요
아! 이거구나 산이 말한 것이
그리하여 천사는 그걸 쓰기 시작했어요
그건 사실 이야기가 아니라 시라고 부르는 것이었는데
천사가 그걸 알 리는 없었지요
어쨌거나 천사는 그걸 쓰기 시작했고
그게 뭐든 참으로 좋다고 느꼈어요
한참이 지나고 천사는 마음 안에
다양한 것이 피어나는 것을 눈치챘어요
예쁜 것 둥근 것 보드라운 것
묵직한 것 뜨거운 것 서늘한 것
그것은 감정이라 불리우는 것이었고

역시 천사는 알 리 없었지만
그것들을 소중히 여겨나갔어요
그렇게 하나씩 하나씩
천사는 사실상 또 다른 잠 세계를 꿔나갔어요
언제까지나
언제까지만이요

마음의 바닥

마음의 바닥에 웅크리고 조용히 사방을 긁네
파도 파도 계속 나오는 어둠에
문득 깊은 절망 밀려와도
긁어내고 긁어내고 긁어내다
이런 나 지쳐버렸네
이제 못하겠는걸 드러누우니
한 움큼 보이는 빛
저기 닿을 수나 있을까 갸웃거리는데
발치 끝에 슬며시 내려앉는 빛

한 줌의 평온

어떠한 괴로움도 없이
아무런 고민도 없이
더도 말고 덜도 말고
딱 한 줌의 평온만을 지닌 채
살아가고 싶어라
하지만 인생은 이 손에
서투름도 쥐여주고
실망도 쥐여주고
아픔도 쥐여주네
나 별로 받고 싶지 않은데
삶은 그저 빙긋 웃네

도시 산책

뚜벅뚜벅 도시 엘리베이터를 지나
총총 예쁘게 걸린 옷들 반짝
뒤편의 그림자 매끈한 불빛
모든 게 하나라고 외치는 사인

검정 날

안 보여요
사랑이

안 보여요
불빛이

어둡고 어둡고 또 어두워라
짙고 묵직하고 차가워라

웅크리고 구르고 베였어
하강하는 존재

그럴 때도 꿔볼 수 있나
꿈이나 하늘

그럴 때도 부를 수 있나
새로운 노래

나무

꽃이 다 어데로 갔지
바람에 흩날려 시들었지
벌거벗은 나무
챙피하지도 않니
모든 사계의 풍경
다 나인걸
나무는 당당하네

힘든 날에는

꿈을 깡깡 잊어버리자
깊은 시들을 왕왕 읽고
갓 지은 밥을 와구 먹자
다리가 퉁퉁 부을 때까지 뛰고
포근한 이불 속에 돌돌 웅크려
아득한 잠 속에 쿨쿨 빠지자

바느질 강습

한 땀 한 땀 찢어진 마음을 꿰매어봅시다
어렵더라도 할 수 있습니다
그렇게 살아왔잖습니까

빈 조각

감사하게도
참 많은 사랑 받았습니다
누군가에게는 그림 그릴 캔버스 받고
누군가에게는 온전한 노래 받고
누군가에게는 알록달록 예쁜 책 받고
누군가에게는 깊은 잠의 친구 받았는데
아무리 받아도 채워지지 않는 빈 한 조각
내가 줘야 합니다
그게 참 어렵습니다

삶의 몫

원하는 걸 말해보슈
엽전 한 냥으로 해결해 줄 테니
아 그거는 말이지
그거는 좀 어렵소
열 냥이고 백 냥이고 어렵단 말이오
자네가 해야 할 수밖에 없소
화내지 말고 생각이란 걸 좀 해보슈
대체 그걸 누가 대신해줄 수 있겠소

구멍

꿈의 꿈의 꿈속에서
난 너무나 슬펐지
용케 날 사랑해냈는데
뒤돌았더니 그만
또 다른 구덩이를 발견했네
흙으로 채우고
돌을 넣고
땅을 다져봐도
다시 푹 꺼지는 구멍
여기도 하나 저기도 하나
어둔 구멍이 너무도 많아
다 채워내질 못했지

천사들의 지구 여행

우주선 타고 가봐요
어둠이 많아 놀랄까요
그림자 커튼 걷어내고
살포시 발 디뎌볼까요
밝은 빛 없는 땅에
우리 한 조각 떼어두고 올까요

실수

사람은 실수를 할 수 밖에 없는걸까
부처님은 어땠을 것 같은데?
아마도, 하셨겠지
그걸 어떻게 여기셨을 것 같은데?
그냥 인간이라 여기셨을 것 같아
우린 고개를 끄덕였네

실수란 손에서 무언가를 놓치는 일
나는 점심때 커피를 쏟았다
커피잔을 놓쳐보니 어떻던가
처음에는 놀랐는데 쏟아진 커피에 손을 올려보니
뜨뜻하고 좋더군
결국 키친타올과 행주로 닦아야 하긴 했지만
그리 어렵진 않던걸
으음
손에서 무언가를 놓는 일이라면
아마 부처님은 좋아하셨을 것 같구나
먼저 살던 친구의 말

모래 언덕

안녕 여기는 네 마음의 모래 언덕
이곳에서 부드럽게 시작해 보는 거야
너와의 대화
아주 깊은 곳에서 올라오는 생각들
조금씩 조금씩 엉킨 실을 풀 듯 말해봐
아주 정직하고 솔직하게 때로는
그 솔직함에 도리어 상처 입을 수도 있지만
위험을 무릅쓰고 용기 내어보자
수호천사는 네가
낭떠러지로 굴러떨어지는 걸 환영할 거야
어쩌면 그걸 바라고 있을 수도 있어
선을 넘고 문을 열고
벽을 깨부술 수 있다는 징표
축복을 내리고 네게 한바탕 커다란 박수 줄 거야
물론 미세한 모래바람에도 무너지는
공들여 쌓은 돌탑을 보게 될지도 몰라
그럴 땐 왕왕 울고 싶어질지도 모르지
하지만 너 얼마든지 울어

구르고 소리치고 화를 내봐
아픔을 온전히 만끽하는 거야
여전히 네 발밑은 부드러운 언덕
주위는 찬란한 황금빛으로 반짝이는 모래알들
그 모든 풍경이 환히 비출 테야
자신과의 대화를 시작한 너를
어느 입자 하나 고르지는 않아도
모든 것 있는 그대로 완벽한 너를

악몽

내게 남은 찌꺼기 두려움 탈탈 털었어요
으악 악몽!
그치만 아주 좋은 일인걸
천사는 등을 툭 두드려주었죠
그러자 푸른빛 노란빛 하얀빛 섞인
커다란 파도 후우웅 덮쳐와
내 마음에 빛 조각 남기며 두려움 쓸어갔어요

금붕어 어항

금붕어 한 마리
오도카니
어둠, 방
요리조리
헤엄의 잔물결
남기며

이 생에서

겁이 나

무엇이?

그냥 모든 게
산다는 것,
이것을 참 알 수 없어

하지만 너 괜찮아
언제나 네 영혼 모두 네 편이야

생명을 살리는 카페 도서관

생명을 살리는 카페 도서관이 있었습니다
아주 높고 기다란 건물이었는데
저는 저의 두 친구와 함께
가장 꼭대기까지 올라가 보았습니다
거기엔 제가 찾던 책의 아주 작은 버전이 있었지요
『살아가는 대로』라는 제목의 책이었는데
표지에는 누군가의 피가 묻어있었습니다
저는 문득 겁이 났어요
제가 있던 그 장소가
결코 가벼이 여길 곳이 아니라는 걸
문득 알게 되었기 때문입니다
저는 그 책을 제자리에 꽂아 놓고
친구들과 계단을 걸어 내려왔습니다
그때 앞장선 친구가 계단의 모퉁이에서
두 개로 부서진 원석 조각을 발견했고
우리 둘에게 한 조각씩을 내밀었습니다
저는 가만 그것을 받아 살펴보다가
친구에게 도로 돌려주었습니다

우리 셋의 생명은 그렇게 그곳을 빠져나왔고
지금껏 살아있지요
이게 뭘 뜻하는진 우리 아직 모르기로 했지만요

4

공기의 이야기

왠지

마법의 단어 알려줄게
귀여운 꼬마 요정이 말했어요
그래 어디 들어나 보자
그러자 요정 말하기를
자신의 아름다운 삶 "왠지"로 결정된대요

그게 뭔 소리냐
내가 머리를 긁적이자
난 "왠지" 너랑 친구가 되고 싶었고
난 "왠지" 이 나무에 살고 싶었고
난 "왠지" 저 꽃잎으로 옷을 만들고 싶었어
그걸 다 따랐더니 말이지 너무나 좋아
그게 내 아름다운 삶을 만든
마법의 단어!

귀여운 꼬마 요정의 말 듣고
다음 날부터 해보았더니 웬걸
왠지
삶이 아름다워졌어요

봄 토끼

토끼 모여 쫑긋쫑긋
고양이가 내는 소리
천사들의 속삭임
귀 기울여 듣지요

뭐가 들리니
토끼에게 소곤거리자
토끼들 깡총깡총
초록 풀밭 뛰며 말해요

봄이 와
봄이 와
세상에!
겨울 지나면 봄이 와

산타 할아버지에게

산타 할아버지
감기 조심하세요
추운 겨울에 익숙하시겠지만
그래도 선물에 콧물 묻는 건 싫어요
장난이고요

산타 할아버지
제 선물은 됐고요
세상에 사랑이나 듬뿍 주세요
빛도 아름다운 꿈도
가능하면 동그란 마음도요
사랑스러운 단어도 몇 개 주시고요
너무 많은 걸 바라나요?

세상에게

난 수줍긴 했어도
널 언제나 사랑했지

감귤밭의 백구

백구의 갈색 눈
무지무지 빛났어
날 보며 웃는 입
천사와 사탕과 햇살과 무지개
모든 사랑스러운 말 다 닮아있네

백구의 예쁜 눈
어떤 종류 어떤 개
아무것도 상관없고
오직 존재의 아름다움을 보게 하네

햇살에 잠든 백구
계속해서 무한한 사랑 있다는 걸
느끼며 살으렴

쓸 수 없는 시

쓸 수 없는 시가 있어요
듬뿍 담아도 결코
온전히 담기지 않는 마음이죠
그건 살아야 할 몫이라
삶에게 시를 넘겨주어요
당신에 대한 내 마음이
꼭 이렇지요

친구와 일곱 고개

살아야 나오는 건 뭐게
녹색이고 분홍색인 건 뭐게
반투명한 존재는 누구게
일곱 고개 스무고개
네 마음을 읽어야 하지만
너는 이미 다 말해줬네

친구

친구야
네게 가장 예쁜 말 줄게
가장 큰마음 주고
가장 따뜻한 포옹 줄게
그러니 우리
오래오래 놀자
셀 수 없이 많은 차 마시고
셀 수 없이 많은 걸음 함께 걷자

따라쟁이

만트라를 알려주는 우리 언니
내가 모든 걸 따라 하는 우리 언니
따라쟁이 따라쟁이
꿈도 길도 사랑도
따라 따라 따라
난 더 큰 사랑을 배웠네

참말

언니 말하길,
“세상을
너보다
크게
보진 마.”
참으로
맞는 말.

고백

오늘은 오늘 몫의 사랑을 잔뜩 받았다
오늘은 이걸로 완전함 느낀다
그래도 보고 싶긴 하다
너

자기만의 언어

저 사람 너무나 멋진 모자 쓰고
너무나 멋진 단어 말했어
그이의 정확하고도 섬세한 말
따라 하고 싶어 썼더니
아뿔싸 내가 무슨 말을 하는지
전혀 모르겠더이다

지나가던 고양이 할아버지
머리에 태산목 이파리 얹고 말하길,
바보생각 하지 말고
네게서 흘러나오는 단어 쓰면 된다네
멋지든 어렵든 간단하든 쉽든
자기만의 언어 쓰면 그걸로 되었다네

다섯 스님

일렬로 늘어선 심장들
고요한 박동을 지녔네
깊은 곳 가닿은 듯 감은 두 눈
아무런 근심 없어 보이지만
사실은 마찬가지로 들썩이는
이 안을 들여다보는 것이라네

기차 여행

이 기차는 어디로 도착하지요?
곰돌이 그려진 작은 가방 만지작거리며 아이 물어왔어요
아마 말이다 이 기차는 봄의 땅에 도착할 거란다
그게 뭐지요, 어디지요 그곳은?
아이 물끄러미 날 봤어요
모든 걸 담으려는 듯 크게 뜬 눈
나는 어쩐지 조금 두려워졌어요
마음의 파도를 가다듬고서야 난 대답했어요
봄의 땅은 새순이 자라나는 곳이야
모든 게 다시 시작되는 곳이기도 하고
기나긴 겨울이 마침내 변하는 곳이기도 하지
사실 비밀인데
사계는 그저 다른 옷을 입은 한 영혼이란다
다른 옷을 입은 한 영혼이요?
아이는 눈을 훨씬 더 크게 뜨고
하늘빛 닮은 말간 얼굴로 물어왔어요
으응 맞아 그렇단다
결국 봄의 땅은 모든 여름 가을 겨울 지나온

같은 영혼의 따스한 옷이지
그러니 너 너무 겁낼 것 없단다
기차는 언제나 봄의 땅에 도착하기 마련이니
가는 길 멀다면 조금쯤 잠을 자두렴
아이는 고개를 끄덕였고
금세 단잠에 코오 빠져들었지만
나는 어쩐지 쉬이 잠들 수 없었어요
새삼 지난 계절의 땅
어찌 다 지나쳐 왔을까 생각하게 되었거든요

선생님들

안녕하세요
다들 잘 계시나요
전 잘 지냅니다
사랑이 많으셨던 분들
혹은 몇 없는 그것
제게 떼어주셨던 분들
그 사랑 나눠 받고
제가 이렇게 컸습니다
이제 겨우 세상에 발 떼며
여전히 서투른 인간이지만
사실 이 여행
퍽 재미나기도 하답니다
몇 번의 위기 있었지만
손 내밀어주는 이 언제나
있었습니다 감사하게도
이런 마음 혼자 갖기에
너무 아까워 편지를 쓰고
시를 써보는데 이게 다

어떤 것일지요
암것도 모른 채 사는데
그래서 살 수 있다는 것
이제는 알고 있습니다
혹여 지금 외로우시거나
마음에 힘듦 있으시다면
조금의 포옹
나눠드리고 싶습니다
선생님들 덕에
제가 이리 있는걸요
먼저 태어나 먼저 사랑하신 덕
제가 보았는걸요

고민 상담소

서투른 마음을 노래해도 됩니까
그럼요 얼마든지 노래해도 괜찮습니다

서투른 편지를 전해도 됩니까
그럼요 얼마든지 전해도 괜찮습니다

서투른 생각을 펼쳐도 됩니까
그럼요 얼마든지 펼쳐도 괜찮습니다

서투른 생명을 살아도 됩니까
그럼요 얼마든지 살아도 괜찮습니다

아침잠

부드러운 파도를 덮고
돌고래 피부처럼 매끄럽게
미끄러질래요 꿈속으로

손에 잡히지 않는 꿈결들
타고 타고 흐르다가
못 잊을 얼굴 있는 곳에
멈춰 볼까 봐요

할 말은 없을 텐데
그냥 안아줄래요
되려 눈물 쏟을 수 있겠지만
온기는 포기할 수 없어요

안녕, 잘 지냈나요
꼭 안으며 인사하면
따스한 꿈의 파도 속 그 얼굴이
잠시 또렷이 반짝일 테죠

마법의 공식

어느 날 마법사 나타나 말하기를

마법을 부리는 방법은
어떤 주문을 외는 것이 아니고
특별한 이들만 할 수 있는 것도 아니고
그저 네 삶에서 시작해보면 되는 거란다
믿고, 하고, 보는 것!
이게 다란다

나그네 가는 길

내 마음 아무런 조급함 없다
나그네 가는 길 뒤따라야지
발길 닿고 마음 닿는 곳으로
한 발짝 한 발짝 정성스레
매 순간의 호흡에 온 존재 기울이며

하트 여왕

소녀는 꿈속에서 하트 여왕을 만났어요
하트 여왕은 소녀를 무릎에 앉히고
자랑스럽게 자신의 능력을,
세상의 모든 사랑을 액자에 담아
정갈하게 정리한 것을 소녀에게 보여줬어요
사랑의 왕국에서 보건대 그 사랑들은
하나의 이야기에 불과한 것이었지만
소녀는 액자에 담긴 사랑 얘기를 보며
눈물을 쏟았어요
펑펑, 펑펑.
하나하나의 드라마가 너무나 실제 같았고
그것이 못내 슬펐기 때문이었죠
하나둘 셋 넷 다섯 백 수십수만 가지
사랑의 이야기 모여 하나의 액자 만든 것
그 세상 모든 게 정말인데
이게 정말이 아니라는 게
못내 슬펐기 때문이었죠

솜털 머리 작은 요정

이 생에서 이리도 많이 잠자고
이리도 많은 대화 나누지만
어느 날엔 눈을 뜨고
어느 날엔 홀로 되어야 하지요
오오 그런 것이구나 솜털 머리 작은 요정
말간 얼굴로 과자를 먹으며 웃어요
못이겠구나! 나도 따라 웃어요

아기

아기들은 동그래
휘둥그레
두 눈을 똑바로 뜨고서
모든 것을 흡수하면서
아무것도 판단하지 않고
아무것도 거르지 않고
오늘 너희들 하루는
나와 많이 달랐겠다

쇼핑

많은 걸음을 걸었다
빙글빙글 빙글빙글
무얼 손에 쥐어보고
무얼 몸에 걸쳐볼지
하지만 돌아가는 길은 빈손
오직 좋았던 것은 따뜻한 밥
사람들이 누리는 평온한 순간
그 속에 나도 있던 것
우리 함께 있던 것
하루에 스며있던 은은한 사랑
그냥 그런 것
뭘 살 순 없겠네
결국 이런 건 살 수 없겠네

게르에서의 만남

이리와요,
이리와 앉아
어서 마음을 녹여요
꽁꽁 얼어 많이 춥지요
이맘때 겨울은 별수 없네요
물론이죠 저도 그래요
여기라고 별수 있나요
혹 따뜻한 차 한잔 마실래요
좋아요 있어 봐요
여기요 뜨거우니 천천히 마셔요
그런데 어쩌다 여기까지 오게 됐나요
아 우연히요
그거 우리 삶을 대단히 바꿔놓죠
좋아하시나요 우연
저는 어떠냐고요
음 글쎄요
우리 이리 마주 앉아있는 게
그 덕일 테니 네,

저는 좋아할 수 있겠네요

우연

사람 사랑

찡그리는 표정
수많은 감정
눈물 흘리는 사랑
달달 떨리는 턱
콩닥거리는 심장
우리는 세상을
이렇듯 살고

불면의 밤

아주 많이 추운 날을 보냈던 것도 같은데
지금은 다 잊어버렸어
그냥 잊기로 했지
모르겠어
불면의 밤
흐르고 뭉쳤다 풀리는 생각들
반복 반복
숨
호흡
몰라도 되겠지
생각은 그만
중요한 건 무얼까
많은 생각하는 것 중요치 않다면
살아온 날들 곱씹는 것 또한
앞으로, 라는 막연한 얘기 또한 중요치 않다면
가만 보니
미래 같은 것 좀 쓸모없게 느껴지기도 해
아무리 많은 생각 해놔도

단번에 달라져 버리는데

해도 상관없지만

그 모든 생각 사실 아무것도 아닌 거지

아

다시 다시

호흡

숨

살아요

매 순간을 살아요
겁이 나면 겁을 내고
행복하면 행복하고
바람결 구름결 빛결
물결 마음결 모조리 다
잔뜩 느끼며 살아요

베스트 프렌드

우리 각자 살아야 할 몫이 있지
너의 길과 나의 길은 다른 길
하지만 우리 서로의 마음 안부를 묻고
무엇보다 밥을 잘 먹으라고
사랑한다고
고맙다고
많이 말하지
이 인생 무척이나 고되기도 하지만
그럼에도 함께라면 난 끄떡 없지

색깔

난 여기 색깔들이 너무 좋아요
바다의 색깔 눈동자의 색깔
어둠의 색깔 빛의 색깔
사람의 색깔 사랑의 색깔
모든 색채는 꿈과 같지만
이 꿈이 너무나 좋아요

너 정말 몰입을 잘한다
연극 무대 위 내게 말하는
신, 외계인, 천사, 수호자, 우주의 존재들

그래 맞아
내게는 역할이 있으니
오는 감정 충실하며
푹 빠져 연기 할 거야
도중에 마음에 안 들면
즉흥극이라도 벌일 거야
생생한 색깔 선명한 색깔
만들면서 살 거야

생일 소원과 타로 카드

만약 인생이 내가 원하는 것과 다른 카드를 내민다면
나는 일단 그 카드를 받아 들어는 보겠어요
카드 그림에 당신 얼굴이 없고
내가 모르는 풍경만 가득해도
일단 받아 들어는 보겠어요
잠깐 좁아진 마음으로는 아플 수 있겠지만
그래도 모르죠
이다음 그림에 당신이 나올지
영영 아무것도 없어 보인다 해도
모르죠,
끝날 때까지는

사랑에게

안녕
당신이 어떤 춤을 추는지 궁금해요
어떤 노래를 자주 들으며
어떤 마음으로 사람을 보는지
어떤 기분으로 잠이 드는지
나는 그것이 궁금해요

당신의 가족들은 당신에게 어떤 의미이며
힘들 때 당신 호수에서 평안을 찾는지
산에서 평안을 찾는지
바다에서 평안을 찾는지
모든 시시콜콜한 사실이 궁금해요

다섯 살의 당신은 어땠는지
어떤 인형 어떤 이불 좋아했는지
당신 마음 깊은 곳에 여전히
따스하게 남아있는 풍경들은 무언지
나는 이 모든 게 궁금해요

사람들

안녕! 우리 또 만나요
천국에서 혹은 이다음 생에서
바람으로도 좋고 꽃으로도 좋아요
공기로도 좋고 바다로도 좋지요
돌멩이도 좋고 새로도 좋아요
또 다른 우주의 존재로도 좋지요
사람은 퍽 힘들겠지만
여기서처럼 서로 사랑하면
한결 낫겠죠
만에 하나 당신
다른 삶 원치 않는다면
그럼 또 만나지는 말아요
그냥 지금을 또 만난 거라 믿고
이 순간 더 사랑해봐요

네 가방

비매품이라도 괜찮아
네 가방을 매
교환도 환불도 안 되겠지만
그건 네 것
너만을 위한 너만의 것
나는 옆에서 같이 걷지
커피도 마시고
수다도 떨고
내 가방 멘 채로
그냥 옆에 있지

봄으로 가는 일기

여기까지 왔어
세월이라 부르기엔 짧았지만
찰나 같다기엔 길었지
많이 웃고 울었고
둘 다 아닌 날도 무수했지
누군가를 그리워할 때도 있었고
누구도 떠올리지 못할 때도 있었지
약을 물끄러미 보다가
결국 먹지 않은 때도 있었고
오직 날 위한 여행
떠날 때도 있었지
도무지 외로움 끝나지 않을 것 같았는데
어느샌가 사람들 곁에 있고
때가 되면 맘이 열리고
언제나 생명 있다는 것도 알게 되었지
나 많이 사랑할 줄도 알게 되었는데
사실은 오늘도 울었다
미안했거든 소중한 이에게

실수했거든 아주 오래
그렇다니까 이것 봐
끝나지 않아
게다가 오늘은 그림도 좀 망쳤어
그래도 뭐 괜찮지
지금 들리는 연주 소리
주기적으로 찾아오는 구토와 두통
이 순간엔 없고 오직
피아노 선율과 나, 포근한 이불만 있지
이게 썩 좋아
여기까지 온 거야
남은 날 미리 셀 순 없지만
이 역할극 끝날 때까진
다정한 눈빛으로 살고 싶어
무엇보다 내게 가장 다정한
좀 더 노력해봐야겠지만
고마워
그냥 다

많은 말 전해준 사람들도

그냥 살아있는 사람들도

꿈 파도 물감 무지개 노래 춤

모든 것 고마워

소화

어떤 하루는 소화 시키기 위해
아주 많은 다른 하루 필요할 때가 있지만
우리 잘 해낼 수 있을 거예요
그냥 하는 말 아니고
당신을 보고 한참 생각하다 떠올린 거죠
이렇게 살아있다니
무척 고맙습니다
한 이삼 년쯤 생각해 본 거니까
진심으로 받아줘요

프리뷰

소년도 남자도 아닌 어떤 사람
일 때문에 낯선 호텔에 묵었는데
저녁 무렵 지루함 못 이기고
코트 하나 걸치고 나왔더니
마침 비가 쏟아지기 시작했어
그 사람 호텔 앞에 서서
문득 걸음 재촉하는 사람들 보니
가만 있고 싶어져 그냥 가만 있었어
그러다 어느 찰나 같은 순간
젖은 도로에 반사된 헤드라이트 불빛
내리는 빗소리
축축한 코트 냄새 안에서
자신의 인생 모든 얘길 엿봤어
마법 같은 순간
금세 휘리릭 지나갔지만
그 사람 너무나 깜짝 놀랐어
그거 진짜였다고 믿을 수 있었어

로드 트립

우리 언젠가 떠나자고 말했었지
멋진 도로를 달리자고
긴 순례길을 걷자고
찬란한 로드트립을 떠나자고
그런데 실제로 일어난 건
바로 이런 거야
길을 헤메이고 잃다가
한참 싸우다가
서로 슬픈 말 내뱉다가
그냥 같이 걷는 거
이게 우리의 로드트립이었지
뭔가 퍽 이상하지만
재밌기도 했어 난
이 여행도 잊을 순 없을 거야

생명에 대한 이해

온전하게는 모르지만
제가 그것이지요
분명 그렇지요
떠난 것과 남은 것은
한데 섞이게 되고
놀랄 만큼 사소한 것에
깃드는 법이지요
아주 소중한데
그 이유 말하기 힘든 법이고
한 생명 아닌 듯 보여도
모든 것과 연결되어 있지요

숲의 동화

여기 모든 게 있어요
여기 모든 게 있어요
작은 요정 나뭇잎 왕관 쓰고 숲에서 외쳤네

사람들은 모두 숲에서 떠났어
나는 나무 둥치에 털썩 앉아 말했네

왜요?
왜 숲에서 떠났대요?
여기에 모든 게 다 있는데요?
작은 요정 도무지 이해되지 않는 듯 울먹였네

나는 고개를 저으며 숲을 보았네
그러게 여기에 모든 게 다 있는데

작은 요정 내게 달려와 내 품에 꼭 안겼네
나는 그 따스한 등 어루만지며
그 '모든' 것을 느꼈네

영혼의 여행

우리 이 다음번엔 다른 여행 하게 될지도 몰라요
지금은 몸을 입고서 이 지구 여행하듯 살지만
그 영혼 여길 떠날 땐
영혼의 여행 하게 될지도 몰라요
아 뭘 또 여행이야 싫증 낼 수 있겠지만
지금과는 아주 달라 정말 재밌을지도 몰라요
형체가 없음에도 이 세상 보이는 것과
보이지 않는 모든 것이 단번에 이해가 되고
너무나 섬세하고 아름다운 결과 빛
그 속에서 둥실둥실 떠다닐지도 몰라요
영혼의 여행은 우리를 또 다른 생으로 혹은
무한히 텅 빈 채 사랑이 가득 찬 곳으로
데려갈지도 몰라요
나 여행의 기억 없지만
그래도 어쩐지 다 느껴지는 것만 같아요

지상의 밤

이제 곧 끝나가
뭘 더 해볼까?
외계에서 온 친구와
녹색 의자에 앉아
분홍색 지는 노을 보는 사막
이곳은
꿈?
상관없어, 뭐든
친구는 주스를 마시고
호로록 소리 선명하다
나는
뭘 더 해보고 싶은데?
물었고
빙그레 웃던 외계 친구
가장 여기에 있어 보고 싶다
말하고 그냥 있는다
나도 그랬고
우린 가만히 여기, 꿈속에

하지만 어디든 상관없는 이곳에서
가장 여기에 있었다

사랑의 우주

사랑의 우주

전하고픈 마음 시에 가득히 담았지만
사랑의 우주에 대해 못다 한 말이 남아
이렇게 마지막 시를 써봅니다

몇 해 전 어느 밤
언니는 느닷없이 제게
이제 자신은 사랑의 우주에서 살 거라고
그리로 갈 거라고 말했습니다
그때의 저는 무심코 그 말을 지나쳤습니다
대체 사랑의 우주에서 살 거라는 말이
무언지요 그곳이 어딘지요
저는 아무것도 몰랐습니다

그 후 시간이 흐르고 삶도 흘렀습니다
저는 엉망이지만 축복이었던
제 앞의 흐름을 살아냈고
쌓아둔 마음을 치유하기 위해
섬으로 향했습니다

예상에 없던 여정이었지만
또한 치유라는 것이 그토록
생생하게 찾아올 줄 몰랐지만
제 두려움을
제 괴로움을
온전히 마주하며
오롯이 직면하며
치유와 사랑을 시작했습니다

저는 마치 용감한 전사처럼
저를 사랑하기 시작했고
영혼과 마주 앉아
제게 불러주는 이야기를
천천히 받아적었습니다
그 사랑의 노래를
조금씩 조금씩 모았습니다
마침내 시간이 흘러
저는 도시로 돌아왔습니다

섬에 감사한 작별을 고하며
보따리에 담아온 시를 풀어보다

불현듯
그날 밤 기억이 떠올랐습니다
사랑의 우주에서 살 거랬던 언니 말을
이제 이해할 수 있을 것 같았습니다
사랑의 우주에 살기 위해
무엇보다 저는
저를 먼저 사랑해야 했고
그 사랑이 커지고 퍼져서
사랑의 우주를 만든다는 사실을
이제 알 것 같았습니다

저는 이 우주로 당신을 초대하고파
제 영혼이 들려준 이야기를
이곳에 한데 엮었습니다
너무나도 투명한 마음이라

꺼내놓는 것이 겁나기도 했습니다
하지만 그보다 사랑이 훨씬 커서
이 책을 완성할 수 있었습니다

무엇보다 저는 사랑의 우주 조각을
당신께 보여드리고팠습니다
이토록 멋진 우주에서 전
혼자가 아니라
당신과 함께 살고 싶었던 것입니다

그리하여 지금 이 순간
저와 함께 여기 존재해주는 당신께
너무나도 고맙습니다
이제 시간은 봄으로 넘어갑니다
어쩌면 또 여러 번의 계절이
우리를 지나갈 테지만
함께한다면 용기 내어
다시 또다시

얼마든지 사랑을 선택할 수 있습니다
그러니 무엇보다 든든히 자신을 사랑하며
각자의 삶 속에서
각자의 흐름 안에서
사랑의 우주를 체험하며 살아갑시다

그러다 언젠가 우리의 길이
이 우주 어디선가 교차하게 된다면
수줍지만 반갑게
사랑의 인사를 건네어 보겠습니다
지구를 체험한
체험하는
체험할 모든 생명에게
이 시를 바칩니다

사랑의 우주
Universe Of Love

초판 1쇄 발행 2023년 2월 1일
초판 2쇄 발행 2023년 2월 14일

짓고 엮고 다듬은 아이레
펴낸 곳은 사랑의 우주
전자우편은 universeoflove@naver.com

ISBN 979-11-981672-0-0 03810

*이 책의 표지에는 '마포금빛나루'가 사용되었습니다.

사랑의 우주 스토어